Este libro pertenece a *lo controla*

APAGAR   ENCENDER

Para Mandy.

Título original: *This book is out of control!*,
publicado por primera vez en el Reino Unido por Oxford University Press,
un departamento de la Universidad de Oxford
Texto e ilustraciones: © Richard Byrne, 2017

© Grupo Editorial Bruño, S. L., 2019
Juan Ignacio Luca de Tena, 15
28027 Madrid

Coordinadora de la colección: Ester Madroñero

Dirección Editorial: Isabel Carril
Coordinación Editorial: Begoña Lozano
Edición: Cristina González
Traducción: Pilar Roda
Preimpresión: Equipo Bruño

ISBN: 978-84-696-2606-1
D. legal: M-36661-2018
Reservados todos los derechos
Impreso en China

El papel utilizado en la fabricación de este libro es un producto natural y reciclable a partir de madera
de bosques sostenibles, y su proceso de producción cumple la vigente normativa medioambiental.

www.brunolibros.es

Escaleras y mangueras
Si quieres jugar a **escaleras y mangueras** usando el tablero
que tienes justo al principio de este álbum, solo necesitas una ficha
para cada jugador y un dado para ir lanzándolo por turnos. Mueve
tu ficha según el número que indique el dado, y si llegas a la base
de una escalera, podrás avanzar hasta su extremo superior.
En cambio, si caes en la parte enrollada de una manguera,
deberás retroceder hasta la boca de esa misma manguera.
Ganará quien llegue primero a la casilla con el número 100.

CALLE DE CLAUDIA

¡Este cuento se ha vuelto loco!

Richard
BYRNE

CUBILETE

Alguien llamó a casa de Claudia desde la página de al lado.

Era su amigo Ben,
y traía un juguete nuevo
para enseñárselo a Claudia.

«Es un camión de bomberos con mando a distancia», dijo Ben. «¡Mira lo que hace cuando pulso el botón que pone ARRIBA !».

**Pero como no parecía
que pasase nada,
Ben pulsó el botón RODAR.**

«¡Si no se mueve!», dijo Claudia.
«Prueba a ver si por lo menos suena».
Así que Ben pulsó el botón **SIRENA** .

¡GUAÚÚÚ, GUAÚÚÚ!

«Pues tampoco suena», dijo Claudia.
«¿Y si intentas otro sonido?
A ver, pulsa el botón de VOZ».

«¿Quién ha dicho eso?»,
preguntó Claudia.

«¡Es tu perro!
¡¡Está hablando!!»,
dijo Ben.

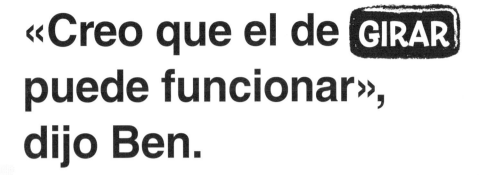

«Creo que el de GIRAR
puede funcionar»,
dijo Ben.

¡Pero no funcionó!
«¿Y ahora quién va a controlar
este cuento?», dijo Claudia.

«¡Uups!», exclamó Ben.
«Pues yo ya no voy
a poder…».

Entonces Claudia tuvo una idea: «Querido lector...», dijo.

«¡Sería genial si nos pudieras ayudar!».

«¡Prueba con el botón que pone ABAJO !», añadió Ben.

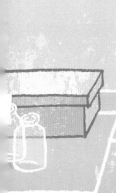

«¡Oh, no!», gritó Claudia.
«¿Seguro que has tocado
el botón correcto, lector?».

Ben estaba empezando a marearse un montón.

«¡Rápido! ¡Prueba a pulsar APAGAR !», gimió.

Pero todo se volvió
aún más raro...

¡Halaaaa!

¡Un huracán!

¡Agarraos fuerte!
Las cosas van a…

¿... controlarse otra vez? ¡Uf, qué bien!
Por cierto, el que pulsó
el botón **ARRIBA** fue el perro.

¡Y funcionó...

«Creo que tu perro ha encontrado el botón del AGUA, Claudia», dijo Ben.

Querido lector:

Todavía te queda un botón por pulsar. ¿Sabes cuál es?

¡Nos vemos pronto!

Claudia, Ben y 🐾

APAGAR
ENCENDER
AGUA
REPETIR
RODAR
ABAJO
SIRENA
ARRIBA
VOZ
GIRAR